Daniel Munduruku

Contos Indígenas Brasileiros

Ilustrações
Rogério Borges

© Daniel Munduruku, 2004

2ª Edição, Global Editora, São Paulo 2005
17ª Reimpressão, 2025

Jefferson L. Alves – diretor editorial
Flávio Samuel – gerente de produção
Ana Cristina Teixeira – assistente editorial e revisão
Mauricio Negro – projeto gráfico
Eduardo Okuno – projeto gráfico e editoração eletrônica

Dados Internacionais de Catalogação na Publicação (CIP)
(Câmara Brasileira do Livro, SP, Brasil)

Munduruku, Daniel, 1964-
    Contos indígenas brasileiros / Daniel Munduruku; ilustrações de Rogério Borges. – 2. ed. – São Paulo : Global, 2005.

    ISBN 978-85-260-0936-3

    1. Folclore – Literatura infantojuvenil. I. Borges, Rogério. II. Título.

04-4449   CDD-028.5

Índices para catálogo sistemático:

1. Folclore indígena : Literatura infantojuvenil   028.5
2. Folclore indígena : Literatura juvenil   028.5

Obra atualizada conforme o
NOVO ACORDO ORTOGRÁFICO DA LÍNGUA PORTUGUESA

Global Editora e Distribuidora Ltda.
Rua Pirapitingui, 111 – Liberdade
CEP 01508-020 – São Paulo – SP
Tel.: (11) 3277-7999
e-mail: global@globaleditora.com.br

 grupoeditorialglobal.com.br    @globaleditora

 blog.grupoeditorialglobal.com.br    /globaleditora

 /globaleditora    @globaleditora

 /globaleditora    @globaleditora

Direitos reservados.
Colabore com a produção científica e cultural.
Proibida a reprodução total ou parcial desta obra sem a autorização do editor.

Nº de Catálogo: **2560**

Apresentação

As sociedades indígenas são movidas pela poesia dos mitos — palavras que encantam e dão direção, provocam e evocam os acontecimentos dos primeiros tempos, quando, somente ela, a Palavra, existia.

E foi por causa dela, de sua ação sobre o que não existia, que tudo passou a existir. Foi como um encantamento, um vento que passa ou o sopro sonoro de uma flauta, e... pronto... tudo se fez.

Assim é a palavra, que flui em todas as direções e sentidos e que influenciou e influencia todas as sociedades ao longo de sua história. Ela cria, enfeitiça, embriaga, gera monstros, faz heróis, remete-nos para nossa própria memória ancestral e dá sentido ao nosso estar no mundo.

Mesmo vivendo numa época em que a tecnologia impera e coloca a Palavra — aqui como sinônimo de Verdade — em segundo plano, percebemos que ainda há esperança, pois ela vivifica a poesia dos mistérios que nos emocionam e nos fazem buscar, dentro de nós mesmos, a certeza de que vale a pena colorir o mundo.

Foi com esta paixão e certeza que este livro foi escrito. Ele traz a magia dos mitos narrados pelos anciãos de cada povo aqui apresentado. E mesmo que não queira abraçar todo o universo da sabedoria indígena, ele traz uma grande amostra daquilo que tem guiado estas sociedades até os nossos dias.

Muitos dos personagens que por aqui passam não são criação de uma mente insana, mas são personagens vivos de uma realidade repleta de mistérios com seus seres, espíritos, duendes, encantados, bruxas; seres com os quais as pessoas se relacionam, aprendem, crescem, brincam, brigam; seres que metem medo nas crianças e nos adultos; seres que embalam a fantasia e alimentam os mistérios da própria existência.

O Brasil é o país da diversidade cultural e linguística. Aqui, em nossas terras, convivem mais de 250 povos diferentes, falando 180 línguas e dialetos, morando em todos os estados desse imenso país. São mais de 750 mil pessoas, segundo os últimos dados do IBGE, que buscam manter acesas as chamas de sua tradição e o equilíbrio de suas próprias vidas.

E para dar uma pequena mostra desta riqueza, selecionamos mitos que representam a caminhada destes povos. Para isso, definimos que o melhor critério seria o linguístico, uma vez que há línguas indígenas, pertencentes aos mais diferentes troncos, faladas de norte a sul do país. Por isso, os leitores irão aqui encontrar desde mitos dos Munduruku, do Pará, falantes da língua Tupi, até mitos do povo Kaingang, do sul do Brasil e que são falantes Jê, do grande tronco Macro-Jê.

Nossa ideia foi "amarrar" as histórias entre si para dar uma visão geral dos povos tradicionais e mostrar que este universo é muito mais rico e especial do que imaginamos.

Boa leitura a todos.

Daniel Munduruku

Nota do Autor: o critério aqui utilizado para designar os povos indígenas foi o mesmo adotado pela Associação Brasileira de Antropologia — ABA.

Sumário

Povo Munduruku (Mito Tupi)
Do mundo do centro da Terra ao mundo de cima 7

Povo Guarani (Mito Guarani)
O roubo do fogo 13

Povo Nambikwara (Mito Nambikwara)
A pele nova da mulher velha 21

Povo Karajá (Mito Karajá)
Por que o sol anda tão devagar? 27

Povo Terena (Mito Terena)
A origem do fumo 37

Povo Kaingang (Mito Kaingang)
Depois do dilúvio 43

Povo Tukano (Mito Tukano)
A proeza do caçador contra o curupira 51

Povo Taulipang (Mito Taulipang)
A onça valentona e o raio poderoso 59

Do mundo do centro da Terra ao mundo de cima

Povo Munduruku (Mito Tupi)

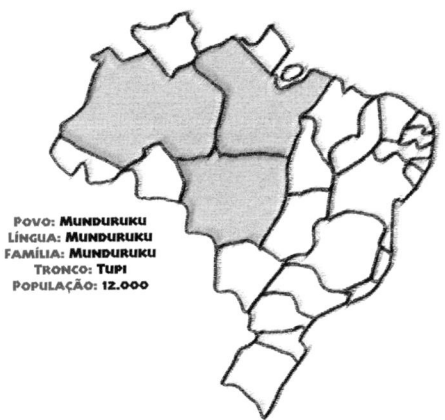

Povo: **Munduruku**
Língua: **Munduruku**
Família: **Munduruku**
Tronco: **Tupi**
População: **12.000**

No antigo tempo da criação do mundo com toda sua beleza, os *Munduruku* viviam dispersos, sem unidade e guerreando entre si. Era uma situação muito ruim que tornava a vida mais difícil e indócil. Foi aí que ressurgiu *Karú-Sakaibê*, o grande Criador, que já havia realizado tantas coisas boas para este povo.

Contam os velhos que foi ele quem criara as montanhas e as rochas soprando em penas fincadas ao chão. Eram também criações dele os rios, as árvores, os animais, as aves do céu e os peixes que habitam todos os rios e *igarapés*.

Karú-Sakaibê, tendo percebido que o povo que ele criara não estava unido, decidiu voltar para unificá-lo e lembrá-lo como havia sido trazido do fundo da Terra quando ele decidiu enfeitar a Terra com gente que pudesse cuidar da obra que criara.

Assim contam os velhos sobre a vinda dos Munduruku ao mundo de cima:

Karú-Sakaibê andava pelo mundo sempre em companhia de seu fiel amigo *Rairu*, que embora fosse muito poderoso, gostava de brincar e se divertir. Um dia, Rairu fez uma figura de tatu juntando folhas, gravetos e cipós. Era uma imitação perfeita. Tão perfeita que o jovem brincalhão resolveu colá-lo com resina feita com a cera de mel de abelha para que seu desenho nunca desaparecesse. Para secar a resina Rairu enterrou seu "tatu" embaixo da terra deixando apenas o rabo para fora. Porém, quando ele tentou, depois de algum tempo, retirar sua mão do rabo não conseguiu, pois a resina havia secado e ele ficara grudado no rabo do tatu.

Como Rairu tinha um grande poder, deu vida ao desenho e este, em vez de querer sair do buraco, foi adentrando-se cada vez mais, carregando consigo o pobre rapaz preso ao seu rabo. Por mais que tentasse se soltar não conseguia. O tatu-desenho foi cada vez mais fundo e quando chegou ao centro da Terra, Rairu encontrou muita gente que por lá morava. Tinha gente de todo jeito: algumas eram bonitas, outras eram feias; algumas eram boas e outras eram más e preguiçosas.

Rairu ficou tão impressionado com aquilo que decidiu sair rapidamente do buraco para contar a Karú-Sakaibê, que já devia estar preocupado com sua demora. E estava mesmo. Karú irritou-se tanto com seu companheiro que decidiu castigá-lo, batendo nele com um pedaço de pau. Para se defender o jovem contou sua aventura ao centro da Terra e como ele havia encontrado gente lá. Estas palavras chamaram

a atenção de Karú, que decidiu trazer toda esta gente para o mundo de cima.

Rairu ainda perguntou como poderiam fazer isso se eles estavam tão longe. O herói criador nem sequer deu ouvido ao jovem. Começou a fazer uma pelota e enrolá-la na mão. Em seguida jogou a pelota no chão e imediatamente nasceu um pé de algodão. Colheu, então, o algodão e com suas fibras fez uma corda que passou na cintura de Rairu e ordenou que fosse ao centro da Terra buscar as pessoas que lá ele vira.

Rairu desceu pelo mesmo buraco do tatu. Quando chegou reuniu todo mundo e falou das maravilhas que havia no mundo de cima e que queria que todos subissem pela corda para conhecer este novo mundo. Os primeiros a subir foram os feios e os preguiçosos, por que estes imaginavam que iam encontrar alimentos com muita facilidade e nunca mais precisariam trabalhar. Depois subiram os bonitos e formosos. No entanto, quando estes últimos já estavam quase alcançando o topo, a corda arrebentou e um grande número de gente bonita caiu no buraco e permaneceu vivendo no fundo da Terra.

Como eram muitos, Karú-Sakaibê quis diferenciá-los uns dos outros. Para que uns fossem Munduruku, outros *Mura*, *Arara*, *Mawé*, *Panamá*, *Kaiapó* e assim por diante. Cada um seria de um povo diferente. Fez isso pintando uns de verde, outros de vermelho, outros de amarelo e outros de preto. No entanto, enquanto Karú pintava um por um, os que eram feios e preguiçosos adormeceram.

Esta atitude das pessoas feias irritou profundamente o herói criador. Como castigo por sua preguiça, Karú-Sakaibê os transformou em passarinhos, porcos-do-mato, borboletas e em outros bichos que passaram a habitar a floresta.

No entanto, àqueles que não eram preguiçosos ele disse:

— Vocês serão o começo, o princípio de novos tempos e seus filhos e os filhos de seus filhos serão valentes e fortes.

E para presenteá-los por sua lealdade, o grande herói preparou um campo, semeou e mandou chuva para regá-lo. E tão logo a chuva caiu nasceram a mandioca, o milho, o cará, a batata-doce, o algodão, as plantas medicinais e muitas outras que servem, até os dias de hoje, de alimento para esta gente. Ainda os ensinou a construir os fornos para preparar a farinha.

Contam nossos avós que foi assim que Karú-Sakaibê transformou a grande nação Munduruku num povo forte, valente e poderoso...

Glossário

Munduruku — Significa Formigas Gigantes ou Compridas por ser conhecido como um povo guerreiro e poderoso. Está presente nos estados do Pará, Amazonas e Mato Grosso, totalizando aproximadamente 12 mil pessoas. Seu contato com a cidade já é de 250 anos e, apesar deste contato antigo, mantém sua cultura e tradição através de rituais e de sua língua.

Karú-Sakaibê — É dessa forma que o povo Munduruku denomina seu herói criador e civilizador.

Rairu — Era o fiel companheiro de Karú-Sakaibê, uma espécie de assistente na obra da criação.

Igarapé — Significa pequeno córrego. São braços de um grande rio, onde normalmente estão localizadas as aldeias Munduruku.

Mura, Mawé, Arara, Panamá, Kaiapó — Denominação de alguns povos indígenas que são vizinhos dos Munduruku.

O roubo do fogo
Povo Guarani (Mito Guarani)

Povo: **Guarani**
Língua: **M'Bia, Nhandeva, Kaiowá**
Família: **Tupi Guarani**
Tronco: **Tupi**
População: **35.000**

Em tempos antigos os *Guarani* não sabiam acender fogo. Na verdade eles apenas sabiam que existia o fogo, mas comiam alimentos crus, pois o fogo estava em poder dos urubus.

O fogo estava com estas aves porque foram elas que primeiro descobriram um jeito de se apossar das brasas da grande fogueira do sol. Numa ocasião, quando o sol estava bem fraquinho e o dia não estava muito claro, os urubus foram até lá e retiraram algumas brasas as quais tomavam conta com muito cuidado e zelo. Era por isso que somente estas aves comiam seu alimento assado ou cozido e nenhum outro ser da floresta tinha este privilégio.

É claro que todos os urubus tomavam conta das brasas como se fosse um tesouro precioso e não permitiam que ninguém delas se aproximasse. Os homens e os outros animais viviam irritados com isso. Todos queriam roubar o fogo dos urubus, mas ninguém se atrevia a desafiá-los.

Um dia, o grande herói Apopocúva retornou de uma longa viagem que fizera. Seu nome era *Nhanderequeí*. Guerreiro respeitado por todo o povo, decidiu que iria roubar o fogo dos urubus. Reuniu todos os animais, aves e homens da floresta e contou o plano que tinha para enfrentar os temidos urubus, guardiões do fogo. Até mesmo o pequeno *cururu*, que não fora convidado, compareceu dizendo que também ele tinha muito interesse no fogo.

Todos já reunidos, Nhanderequeí expôs seu plano:

— Todos vocês sabem que os urubus usam fogo para cozinhar. Eles não sabem comer alimento cru. Por isso vou me fingir de morto bem debaixo do ninho deles. Todos vocês devem ficar escondidos e quando eu der uma ordem, avancem para cima deles e os espantem daqui. Dessa forma, poderemos pegar o fogo para nós.

Todos concordaram e procuraram um lugar para se esconder. Não sabiam por quanto tempo iriam esperar. Nhanderequeí deitou-se. Permaneceu imóvel por um dia inteiro.

Os urubus, lá do alto das árvores, observavam com desconfiança. Será que aquele homem estava morto mesmo ou estava apenas querendo enganá-los? Por via das dúvidas preferiram aguardar mais um pouco.

O herói permaneceu o segundo dia do mesmo jeito. Sequer respirava direito para não criar desconfianças nos urubus que continuavam rodeando seu corpo. Foi no fim do terceiro dia, no entanto, que as aves baixaram as guardas. Ficavam imaginando que não era possível uma pessoa fingir-se de morta por tanto tempo. Ficavam confabulando entre si:

— Olhem, meus parentes urubus — dizia o chefe urubu — nenhum homem pode fingir-se de morto assim. Já decidi: vamos comê-lo. Podem trazer as brasas para fazermos a fogueira.

Um grande alarido se ouviu. Os urubus aprovavam a decisão de seu chefe, e por isso imediatamente partiram para buscar as brasas. Trouxeram e acenderam uma fogueira bonita e vistosa.

O chefe dos urubus ordenou, então, que trouxessem a comida para ser assada. Um verdadeiro batalhão foi até a presa e a trouxe em seus bicos e garras. Eles acharam o corpo do herói um pouco pesado, mas isso consideraram até muito bom, assim daria para todos os urubus.

Eles colocaram Nhanderequeí sobre o fogo, mas graças a uma resina que ele passara pelo corpo, o fogo não o queimava. Num certo momento, o herói se levantou do meio das brasas dando um grande susto nos urubus que, atônitos, voaram todos. Nhanderequeí aproveitou-se da surpresa e gritou a todos os amigos que estavam escondidos para que atacassem os urubus e salvassem alguma daquelas brasas ardentes.

Os urubus, vendo que se tratava de uma armadilha, se esforçaram o máximo que puderam para apagar as brasas, engoli-las e não permitirem que aqueles seres tomassem posse delas. Foi uma correria geral. Acontece, no entanto, que na pressa de salvar o fogo, quase todas as brasas se apagaram por terem sido pisoteadas.

Quando tudo se acalmou, Nhanderequeí chamou a todos e perguntou quantas brasas haviam conseguido. Uns olhavam para outros na tentativa de saber quem havia salvado alguma brasinha, mas qual não foi a tristeza geral ao se depararem com a realidade: ninguém havia salvado uma pedrinha sequer.

— Só temos carvão e cinzas — disse alguém no meio da multidão.

— E para que nos há de servir isso? — falou Nhanderequeí. — Nossa batalha contra os urubus de nada valeu!

Acontece que, por trás de todos, saiu o pequeno cururu, dizendo:

— Durante a luta os urubus se preocuparam apenas com os animais grandes e não notaram que eu peguei uma brasinha e coloquei em minha boca. Espero que ainda esteja acesa. Mas pode ser que...

— Depressa. Pare de falar, meu caro cururu. Não podemos perder tempo. Dê-me esta brasa imediatamente — disse Nhanderequeí, tomando a brasa em suas mãos e a assoprando levemente.

Todos os animais ficaram atentos às ações do herói que tratava com muito cuidado aquele pequeno luzeiro. Pegou-o na mão e colocou um pouquinho de palha e o assoprou novamente. Com isso ele conseguiu um pequeno riozinho de fumaça. Isso foi o bastante para incomodar os animais, que logo disseram:

— Se o fogo sempre faz fumaça, não será bom para nós. Nós não suportamos fumaça.

Dizendo isso, os bichos foram embora, deixando o fogo com os homens e com as aves.

Nhanderequeí soprou de novo. Ele o fazia com todo cuidado, com todo jeito. Logo em seguida à fumaça, aconteceu um cheiro de queimado. Isso foi o bastante para que as aves se incomodassem e dissessem:

— Nós não gostamos desse cheiro que sai do fogo. Isso não é bom para as aves. Fiquem vocês com este fogo.

Dizendo isso, bateram as asas e se foram deixando apenas os homens tomando conta do fogo.

Enquanto isso, Nhanderequeí soprou ainda mais forte e, finalmente, as chamas apareceram no meio da palha e do carvão que sustentaram o fogo aceso para sempre.

Percebendo que tudo estava sob controle, o herói ordenou que seus parentes encontrassem as madeiras canelinha, criciúma, cacho-de-coqueiro e cipó-de-sapo e as usassem sempre toda vez que quisessem acender e conservar o fogo. Além disso, o corajoso herói ensinou os Apopocúva a fazer um pilãozinho onde guardar as brasas e assim conservar o fogo para sempre.

Dizem os velhos desse povo que até os dias de hoje os Apopocúva guardam o pilãozinho e aquelas madeiras.

Glossário

Apopocúva-Guarani — O grande povo Guarani está localizado em oito estados brasileiros. Sua língua, subdividida em Nhandeva, M'Bia e Kaiowá, pertence ao tronco linguístico Tupi. Sua população é a segunda maior do Brasil. Segundo dados oficiais, chega a 35 mil pessoas. Os Guarani estão presentes ainda em diversos países que fazem fronteira com o Brasil.

Nhanderequeí — Herói civilizador entre os Guarani. Aquele que cria e ensina este povo a manipular seus bens culturais. Nesta história, ele é o herói que ajuda o povo a roubar o fogo e ensina a conservá-lo.

Cururu – Nome genérico dos sapos, em Tupi.

A pele nova da mulher velha
Povo Nambikwara (Mito Nambikwara)

Povo: **Nambikwara**
Língua: **Subanê, Nambikwara do Norte, Nambikwara do Sul**
Família: **Nambikwara**
Tronco: **Não definido**
População: **1145**

Daniel Munduruku

Em tempos muito antigos, contam os avós *Nambikwara*, havia uma mulher muito velha. Alguns até diziam que ela chegava a ter mais de 165 anos de idade. Por ser assim tão velha, todo mundo havia se afastado dela. Dessa forma, a mulher vivia sozinha numa casa que ela mesma construiu usando a força de seus braços.

Um dia, a mulher dormiu na sua *sixsú* e teve um sonho que a encheu de alegria e de vontade de viver: sonhou que havia voltado a ser nova. Em seu sonho ela estava lindíssima, toda enfeitada com colares, pulseiras, brincos; estava pintada com as cores do urucum e do jenipapo; até mesmo um cocar ela usava.

Apenas uma coisa a deixava um pouco triste: ela não conseguia encontrar penas para fazer cocar.

Quando ela acordou, continuou achando que o sonho tinha sido uma mensagem que havia recebido do mundo dos espíritos e que ela podia voltar novamente a virar mocinha. Mas tinha o problema das penas. Como encontrá-las?

Foi então que ela descobriu que um rapaz de uma outra aldeia viria passar a noite em sua casa. Imaginou, assim, que seus problemas haviam sido resolvidos: ela pediria ao rapaz que fosse encontrar penas do pássaro tucano para si. E assim o fez.

Aquele rapaz, que também não gostava dela e sentia um certo receio da velha, não quis contrariá-la e foi para a mata atrás do pássaro.

Durante dois dias o jovem procurou, procurou, procurou, até encontrar o que lhe havia sido pedido. Flechou a ave e retornou à aldeia. A mulher, quando viu o moço chegando, deu pulos de alegria e ficou muito feliz. Ficou tão emocionada e contente que fez um monte de enfeites. Colocou-os todos e pintou-se com as tintas da floresta e foi ao rio banhar-se. Quando saiu dali tirou sua pele velha como se fosse roupa! Voltou a ter apenas catorze anos de idade! Estava nova de novo! E muito bonita, também. Estava tão bonita e elegante que pensou:

"Agora posso até arrumar alguém para namorar! Nova desse jeito ninguém vai mais me recusar!"

Pensando assim, saiu do rio e pendurou sua pele antiga sobre o galho de uma árvore. Estava tão cheia de si, orgulhosa com sua nova condição, que nem se deu conta de um grupo de meninos que por ela passou em direção ao rio. Quando lembrou, gritou de onde estava:

— Olhem aqui, meninos. Não vão mexer na roupa que eu deixei pendurada no galho da árvore. Pode ser muito perigosa para vocês!

As crianças, porém, não deram a mínima para o que aquela menina havia dito e, ao chegarem à beira do rio, viram aquela estranha peça pendurada. Não tiveram dúvidas: pensando que era um bicho ou algo assim, passaram a flechar a pele da velha. Eles flechavam e riam a valer. Fizeram tanto furo na pele que quase não sobrou nada.

A menina — que era a velha remoçada — desconfiou de tanta zombaria que foi ver o que estava acontecendo. Quando lá chegou, ficou desesperada com a desgraça que os meninos haviam feito em sua pele. Seu desespero foi tamanho que jurou a todos eles:

— Vocês fizeram algo muito ruim para mim. Por causa disso, todos vocês irão ficar velhinhos como eu e também irão morrer!

E assim aconteceu.

A mulher, sem mais chance de permanecer jovem, vestiu a pele toda furada e também ela morreu.

Vendo o que havia acontecido, ninguém quis ficar perto dela. Todos fugiram. Somente um ser da floresta ficou tomando conta do corpo da velha. Este ser foi a cobra, que por seu gesto bondoso, recebeu o dom de mudar de pele sempre que as estações do ano mudam.

Glossário

Nambikwara — Povo que habita o noroeste de Mato Grosso e o sul de Rondônia. Pertence a uma família linguística isolada, não filiada a nenhum tronco. É falante de três línguas distintas entre si e diversos dialetos. Vive de caça, pesca e coleta.

Sixsú — Casa.

Por que o sol anda tão devagar?
Povo Karajá (Mito Karajá)

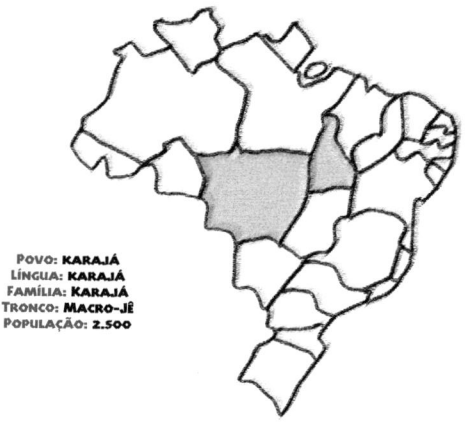

Povo: **KARAJÁ**
Língua: **KARAJÁ**
Família: **KARAJÁ**
Tronco: **MACRO-JÊ**
População: **2.500**

Contam os velhos sábios *Karajá* que, no início dos tempos, a Terra era um lugar muito escuro, muito frio. Isso acontecia porque não havia sol, lua ou estrelas para trazer claridade. Por causa disso, os Karajá precisavam manter um pequeno braseiro aceso dentro de casa. Mas isso era muito trabalhoso, pois exigia que os homens saíssem para a mata atrás de lenha. Como tudo era escuro e frio, todo mundo sentia uma grande indisposição para ir até lá. Aliada à preguiça que sentiam, havia também o fato de sentirem muito medo de permanecerem fora de sua hetó, pois os perigos eram muitos e grandes.

Nesta época, dizem os velhos, a preguiça tomava conta de todo mundo, mesmo de um grande herói do povo Karajá. Este herói, de nome *Cananxiuê*, morava na casa do pai de sua esposa, como é o costume desse povo. Por isso, sempre ouvia o velho homem lhe dizer:

— Oh, meu genro. Você precisa arranjar luz para todos nós. Você é um herói e como herói você tem que resolver este problema que fará muito bem para os Karajá.

— Tá bom meu sogro, um dia eu vou!

Mas o herói não queria nem saber de levantar-se de sua rede. Como todos os homens do lugar, preferia ficar ali a enfrentar a noite escura e fria da mata. Nem lenha ele queria ir buscar, deixando a tarefa para sua esposa.

Um dia, o velho sogro, já enfezado com Cananxiuê, foi ele mesmo buscar lenha na mata. Como já estava com idade avançada e não podendo mais enxergar direito, acabou caindo e se machucando todo. Lá do mato, socorrido por outras pessoas, o homem velho berrou com o genro:

— Ô Cananxiuê, já não aguento mais esta vida. Você tem que dar um jeito nisso! Ao menos venha buscar lenha para manter o fogo aceso.

Não adiantou nada. O herói preguiçoso continuou deitado, cheio de indisposição para sair e resolver o problema.

Foi, então, que os animais se uniram ao sogro e passaram a dizer ao jovem herói:

— Cananxiuê parece mulher. Fica o dia todo deitado na rede sem nada fazer. Vai buscar a luz para nós, homem. Cumpra sua obrigação de herói.

Sua mulher entrou no coro dos descontentes e começou a cobrar-lhe também:

— Cananxiuê, você é meu marido. Você tem que cuidar de mim. Vá cumprir a promessa que fez a meu pai de trazer--nos luz e calor.

Irritado com tanta gente pegando no seu pé, Cananxiuê decidiu sair pelo mundo à procura da luz do sol. Como estava irritado, decidiu que iria sozinho e nada levaria consigo.

Vendo que o herói nada levava, todo mundo na aldeia ficou desconfiado. Todos achavam que, andando desse jeito, sem levar arma alguma, aquele moço não conseguiria trazer o sol consigo.

Até os animais da floresta começaram a dizer a Cananxiuê:

— Como um homem sozinho pode querer vencer *Theuú*

e trazê-lo para nós? O sol é grande e forte e mãos vazias não irão aguentá-lo.

— *Randô* é esperta e cheia de fases. Como poderá vencê-la?

— *Tahiná* é valente e ligeira. Ela pisca e se esconde. Como irá encontrá-la?

— Sem arco e flecha, sem lança ou tacape, sem corda ou laço, ele não vencerá sequer um punhado de moscas. Como poderá vencer o sol, a lua e as estrelas?

Cananxiuê nada respondia. Continuava quieto apenas fazendo planos em seu pensamento:

— Se não posso flechar o sol, laçar a lua, amarrar as estrelas, para que usar armas? A minha arma tem que ser a esperteza.

E assim continuou sua jornada por um longo tempo. Pelo caminho, ia perguntando para todos que encontrava qual seria o paradeiro do sol, da lua e das estrelas. Ninguém sabia direito e davam informações muito diferentes. Até que num dia encontrou alguém que sabia onde eles viviam.

— O sol, a lua e as estrelas estão lá em cima. Eles estão muito bem guardados pelo *Ranranresá*, o urubu-rei.

— Então, se é o urubu-rei que é dono do sol, da lua e das estrelas, é ele que tenho que vencer!

E assim foi, dizem os velhos Karajá.

Cananxiuê bolou um plano para vencer Ranranresá. Ao chegar num lugar bonito, onde havia uma praia de rio, lugar largo e que desse chance para uma fuga, resolveu que ali seria o espaço ideal para travar sua batalha com o urubu-rei.

Ele deitou-se no chão e avisou a todos os animais que o seguiam: morri!

Para testar se ele estava mesmo morto, as moscas vieram e andaram por cima do corpo estendido no chão. Fizeram barulho perto do ouvido do herói morto e não conseguiram que ele movesse um único músculo. Disseram então: — Ele está morto. Ele morreu mesmo.

Em seguida veio um grupo de urubus e voaram em círculo sobre o cadáver. Desconfiados, não quiseram arriscar descer onde ele estava. Tempos depois, alguns vieram e bicaram a barriga de Cananxiuê, mas ele não se mexeu. Então, disseram entre si: — Está morto mesmo. Podem avisar o rei.

Ranranresá sobrevoou o herói. Estava desconfiado, mas, acreditando nas palavras de seus conselheiros, pousou bem no peito do cadáver que, rápido como um raio, agarrou as pernas do urubu-rei e tornou-o seu prisioneiro.

Ao notar que o herói havia conseguido aprisionar o dono do sol, os animais começaram a caçoar do pássaro:

— Este urubu não é de nada. Deixou aprisionar-se de forma tão infantil.

— Não pode ser rei alguém que se torna presa de um Karajá!

— Como pode ser dono do sol, da lua e das estrelas, alguém tão fácil de agarrar?

Os animais sabiam que agindo daquela forma iriam provocar a ira do urubu-rei e que acabariam conseguindo dele o que queriam.

Passado algum tempo, e já não mais aguentando tamanha gozação, Ranranresá chamou Cananxiuê e lhe propôs satisfazer qualquer vontade do moço por sua liberdade.

— Liberte-me e eu lhe darei o que pedir.

— Irá me dar qualquer coisa?

— Tudo o que quiser, desde que me liberte.
— Você me dá sua palavra de urubu-rei?
— Dou minha palavra.

O herói libertou o urubu-rei, que imediatamente tomou o rumo do céu. Aliviado por estar livre das correntes, a ave voltou ao jovem:

— O que você quer em troca de minha liberdade?
— Quero a luz das estrelas!

Urubu sumiu. Voltou em seguida trazendo apenas a luz das estrelas consigo. Isto, no entanto, não agradou a todos. Diziam que era uma luz muito fraca e de nada servia.

— Quero que nos traga a luz da lua!

Urubu-rei partiu e regressou trazendo apenas a luz da lua. Era uma luz fria, sem vida e todos reclamaram novamente.

— Quero Theuú, o sol. Somente ele tem a luz e o calor de que os Karajá precisam.

Urubu-rei foi e voltou com o sol. O sol chegou forte, brilhante e quase queimou tudo onde passava. Mas como o urubu-rei estava muito chateado com os Karajá, pediu ao sol que andasse rápido, tão rápido que nem desse tempo das pessoas aproveitarem dele. E assim aconteceu. O sol passou tão rápido que o dia foi muito curto. E mais uma vez todos se chatearam, indo reclamar com Cananxiuê.

O herói falou ao Ranranresá para que pedisse ao sol que andasse mais lentamente para que os Karajá pudessem aproveitá-lo melhor. Acontece que a ave já estava tão chateada que disse que iria embora e que o próprio herói falasse com o sol.

Mas como isso era possível, se o sol sempre passava em grande velocidade?

A aldeia foi para cima do herói, reclamando da velocidade do sol. Para que serviria um sol que caminha tão rápido?

Cananxiuê foi, então, para o topo de uma grande palmeira. Ficou ali aguardando. Quando o sol foi-se aproximando da árvore, o herói saltou sobre ele e agarrou em sua cabeleira. Como estivesse muito quente, escorregou e foi parar em seu pescoço; como ainda estivesse muito quente escorregou e foi parar em sua barriga; ali também estava quente e acabou escorregando para sua cintura; também ali o calor era insuportável, até que se agarrou na batata da perna do sol. Ali ficou firme, não largou.

A firmeza com que segurou o sol era tanta, que isso obrigou Theuú a diminuir a velocidade de sua passagem sobre a Terra permitindo que os Karajá realizem todos seus afazeres: caçar, pescar, coletar frutos, trançar suas redes, comer... Sem necessidade de correr com medo de o dia acabar logo.

E quando o sol vai embora e a humanidade fica entregue à noite, os Karajá têm a alegria de contar com a luz de Randô, que os alimenta com seu brilho. E mesmo nas noites mais escuras, todos podem contar com as piscadelas de Tahiná para lembrá-los que o dia nascerá de novo, graças ao herói Cananxiuê, que continua agarrado na batata da perna do sol.

Glossário

Karajá — Povo que habita o estado do Tocantins. Sua família linguística pertence ao grande tronco Macro-Jê e incorpora outros grupos indígenas como os Javaé e Xambioá. Sua população atual é de aproximadamente 2.500 pessoas.

Cananxiuê — Herói cultural Karajá. Nesta história, o herói é quem tira seu povo da escuridão da noite.

Theuú — Sol.

Randô — Lua.

Tahiná — Estrela vespertina. Sua variação é Tainá, nome próprio muito usado em nomes femininos.

Ranranresá — Urubu-Rei. Ave grande, formosa e rara. É um urubu de penas da cor do café com leite, arminho no pescoço e pupila branca como se fosse de porcelana. Seu nome foi dado por causa da coroa amarela e vermelha que traz na cabeça como uma crista.

A origem do fumo

Povo Terena – Mito Terena

Povo: **TERENA**
Língua: **TERENA**
Família: **ARUAK**
Tronco: **ARUAK**
População: **16.000**

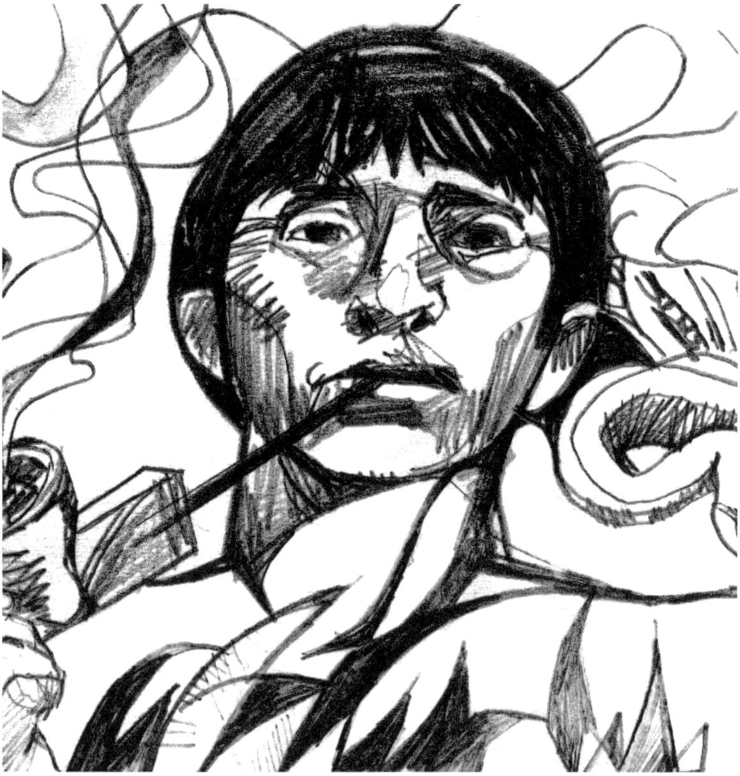

Assim os velhos do povo *Terena* contam o aparecimento do fumo:

Havia uma mulher que não gostava muito de seu marido, e por isso fez um feitiço contra ele. Fez o feitiço usando o *caraguatá*. Ela o pegou e o arrancou do chão e pôs dentro da árvore seu próprio sangue. É por isso que esta árvore tem o centro da cor vermelha.

Em seguida, a mulher deu o broto para o marido comer. Imediatamente ele sentiu-se fraco e sem disposição para o trabalho, ficando deitado o dia todo. E se permanecesse desse jeito, fatalmente morreria em alguns dias.

Acontece, no entanto, que o filho dele havia visto a mulher fazer aquela maldade e contou a ele, que ficou muito aborrecido com sua esposa.

— Não sei por que ela quer me maltratar. Mas se é assim, eu vou me vingar dela — pensou.

Com muito esforço, decidiu levantar-se e comunicou à esposa que ia ao mato tirar mel e que logo voltaria. Calçou suas sandálias de couro de anta, chamou o menino e entrou no mato.

Ao chegar na floresta, notou que havia uma cobra e uma abelheira *jati* no tronco da *lixeira*. Foi até lá e furou a árvore para tirar mel. Matou a cobra, abriu a barriga dela e tirou o filhote que lá estava. Fez tudo isso e misturou com parte do mel. Colocou o mel puro em uma vasilha e o mel misturado em outra.

Ao chegar em casa, sua mulher quis imediatamente provar do mel que ele trouxe. Ela foi direto ao mel puro, mas o homem não permitiu, dizendo que aquele pote estava reservado para seu filho e o dela estava na outra vasilha.

A mulher — que estava com muita vontade de comer o mel — pulou em cima do pote e comeu até mais não poder. Comeu tanto que não percebeu que ele fazia aparecer uma estranha coceira em seu corpo. Somente depois é que notou que era por causa do mel misturado. Ficou furiosa. Tão furiosa que ameaçou matar o marido por ter feito aquela maldade a ela.

— A maldade primeira foi sua, minha esposa. Você é quem quis me eliminar e agora eu me vinguei.

— Isso não vai ficar assim, pai de meu filho. Eu vou te matar.

E dizendo estas palavras saiu correndo atrás do marido que não pensou duas vezes antes de fugir. Enquanto corria ficava pensando um jeito de livrar-se daquela mulher que o havia enganado.

Lembrou-se, então, que havia visto uma árvore com três filhotes de papagaio. Essa poderia ser sua salvação. Correu para lá e subiu na árvore. Como ela estava se aproximando da árvore, ele pegou o filhote mais novo e jogou-o sobre ela, que o devorou rapidamente.

Percebendo que ela ainda continuava avançando, o homem jogou o segundo filhote sobre a mulher que, desta vez, estancou para pegar o pássaro e comê-lo. O tempo, porém, não foi o suficiente para fugir, e o marido teve que jogar também o terceiro filhote para sua mulher. Desta vez o tempo de parada dela foi maior e deu tempo para que o homem descesse da árvore e fugisse.

Sua estratégia, no entanto, não foi muito longa, pois a mulher já estava em seu encalço novamente.

Correndo, ofegante, o marido pensava num jeito de livrar-se dela para sempre. Lembrou-se então, que havia um *fojo* que ele mesmo havia aberto para pegar animais. Correu para lá e lançou-se dentro do buraco e ficou quietinho.

Como a mulher não sabia da armadilha, não notou sua existência e caiu lá dentro. O tombo foi fatal e ela morreu.

O homem, mais que imediatamente, cobriu o buraco com terra e ali mesmo ficou vigiando para ver o que acontecia.

Com o passar dos dias, notou que nascia uma plantinha sobre o túmulo da mulher. Foi lá e a arrancou pensando se tratar de erva daninha. A plantinha teimava, no entanto, a crescer. Ele, então, desistiu de limpá-la.

Passados alguns dias, a árvore cresceu e suas folhas amarelaram. O homem viu que eram diferentes das outras que cresciam ali ao seu redor. Tirou as folhas, amassou-as e as pôs ao sol para secar. Sentiu um agradável aroma que saía delas e as colocou dentro de seu cachimbo que havia acabado de fazer, utilizando o barro. Não sabendo direito o que era, escondeu-se e pitou sozinho, à meia-noite para que ninguém o percebesse. No entanto, o perfume da planta era tão gostoso que as outras pessoas logo quiseram saber de onde vinha. Correram até ele, mas ele não quis contar para os outros.

Isto não ficou assim, não, dizem os antigos. Como queriam participar também daquela descoberta, os homens ficaram vigiando todos os passos do marido e acabaram por descobrir seu segredo quando o viram entrando na mata para buscar as folhas daquela estranha árvore. Imediatamente toda a aldeia ficou sabendo do que se tratava e logo, logo estavam todos utilizando o mesmo *fumo* que o marido da mulher-feiticeira.

Glossário

Terena — Povo cuja língua pertence ao tronco Aruak. O grosso de sua população está localizada no Mato Grosso do Sul, mas está presente também nos estados de São Paulo e Paraná. Forma, com os Guarani e os Ticuna, a população indígena mais numerosa do Brasil.

Caraguatá — Árvore de médio porte comum no Centro-Oeste brasileiro.

Jati — Abelha preta e miúda, que produz mel de excelente qualidade. Faz sua colmeia em árvores ocas e entre pedras.

Lixeira — Árvore de folhas ásperas como lixas.

Fojo — Armadilha para caçar animais. É uma cova funda coberta de galhos e folhas que enganam a presa.

Fumo ou Tabaco — Grande erva de origem sul-americana, de folhas amplas. Possui nicotina e por isso é utilizada para matar parasitas. Utilizadas amplamente em rituais indígenas.

Depois do dilúvio
Povo Kaingang (Mito Kaingang)

Povo: **Kaingang**
Língua: **Kaingang**
Família: **Jê**
Tronco: **Macro-Jê**
População: **20.000**

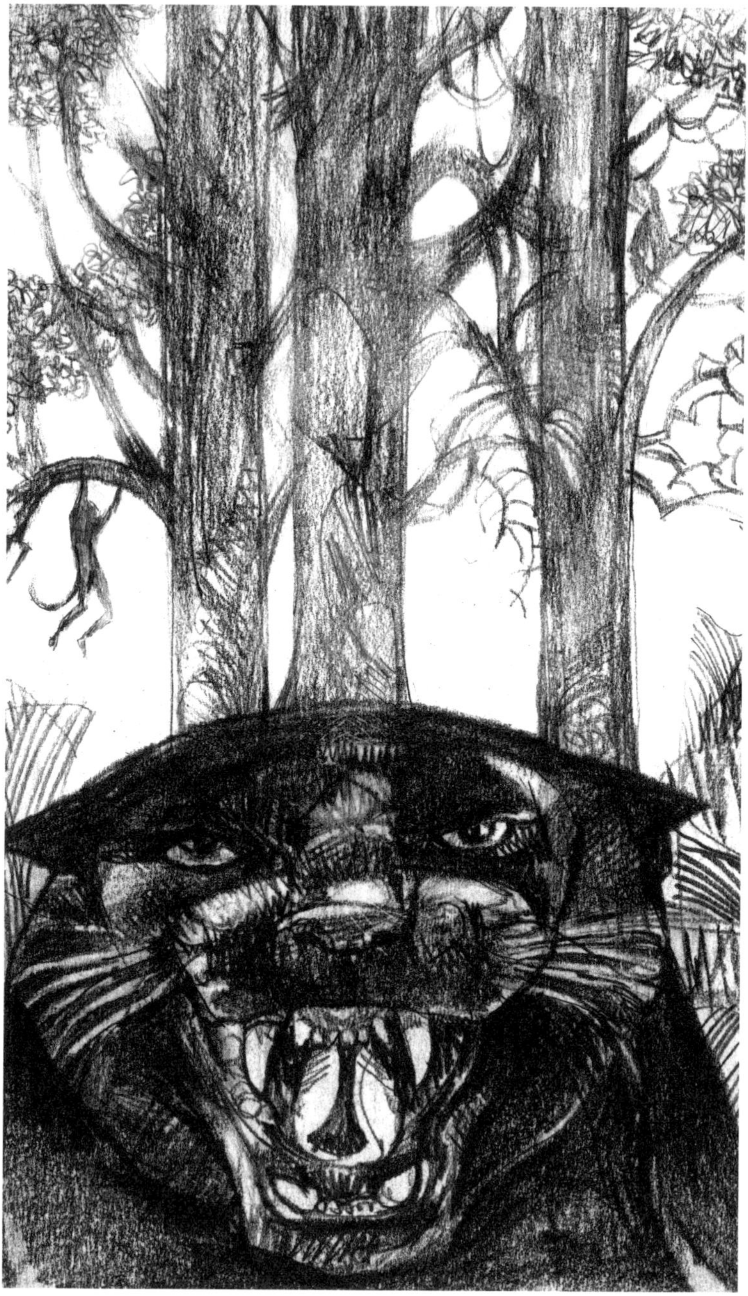

Os velhos do povo *Kaingang* contam aos seus netos que, nos tempos criadores, a Terra viveu um grande dilúvio. Choveu tanto, mas tanto, que ficou para fora apenas o pico da serra Crinjijimbê. Por isso todos os seres humanos daquela época tentaram alcançar o topo para sobreviver. Muitos tentaram, mas alguns não conseguiram e morreram afogados. Seus espíritos, conforme contam os antigos, foram para o centro da serra onde fizeram sua morada.

As pessoas que sobreviveram eram tantas que o pico da serra não comportava todo mundo. Alguns, então, tiveram que viver nos galhos das árvores, enquanto outros viveram na Terra.

Passaram-se muitos dias e todos já estavam desanimados com a chuva que não parava, e a água que não baixava. Algumas pessoas já passavam mal de fome, pois nada mais tinham para comer.

Quando tudo parecia perdido, os homens ouviram bem ao longe um canto conhecido por eles: era o canto das *saracuras* que traziam, dentro de seus papos, terra para aterrar o dilúvio. Imediatamente todos passaram a gritar pedindo socorro às aves que, compadecidas, atenderam ao pedido dos humanos. Com a ajuda de outras aves, as saracuras fizeram um grande dique por onde atravessaram os homens. Infelizmente, como houve demora no atendimento, os homens que estavam sobre as árvores acabaram virando macacos e saíram pulando de galho em galho.

Contam os antigos que, como as saracuras vinham de onde o sol nasce, as águas acabaram todas correndo para o poente, indo em direção ao grande rio Paraná.

Com o passar dos dias as águas secaram e os sobreviventes se estabeleceram nas imediações do pico Crinjijimbê. Aí aconteceu um fato inusitado para todos: os que haviam morrido e ido morar no centro da serra começaram a abrir caminho para fora e chegaram a sair por duas veredas. Os da metade *Kaiurucré* saíram num lugar plano e cristalino e por isso tinham pés bem pequenos; os da metade *Kamé* saíram por outra vereda. Esta era pedregosa e cheia de espinhos. Por isso ficaram com pés grandes. Também saíram em lugar muito árido, sem água para beber. Mais uma vez, tiveram que pedir aos Kaiurucré permissão para beber de sua água. Assim estes dois grupos foram convivendo até abandonarem a serra.

Quando fizeram isso, atearam fogo no mato restando apenas cinza e carvão. Com este último eles fizeram desenhos de jaguares e a eles deram vida, dizendo:

— Agora que vocês têm vida, saiam pelo mundo comendo carne de gente e de caça.

Os jaguares não pensaram duas vezes e já se puseram a caçar.

Como o desenho desses animais consumiu muito carvão, os Kaiurucré passaram a utilizar somente as cinzas. Com elas fizeram as antas e as enviaram pelo mundo para comer caças. Mas como as antas não saíram perfeitas, não conseguiram ouvir a ordem de seus criadores e ficaram em dúvida sobre o que fazer. Voltaram a perguntar, mas como os Kaiurucré estavam muito ocupados, apenas as mandaram comer folhas de árvores e ramos. Dizem os avós antigos que é por isso que as antas se alimentam apenas dos vegetais!

Os Kaiurucré continuavam a fazer, com as cinzas, outros animais. Faziam isso sempre de noite. Num certo dia, estando a esculpir um outro bicho, começou a amanhecer e isso era muito perigoso para eles. Para que este bicho ficasse perfeito, faltava apenas a língua, os dentes e algumas unhas. Mas eles não teriam tempo de completar. A solução foi colocar varinhas na boca do animal.

— Como vocês não têm dentes — disse o ancestral — comerão apenas formigas.

E é por isso que o *tamanduá* é um animal inacabado, incompleto e imperfeito.

Dizem os antigos que os Kaiurucré fizeram ainda muitos outros animais e os libertaram na natureza.

Por sua vez, os Kamé criaram também muitos animais. Só que os que faziam eram para combater os animais que os da outra metade faziam: pumas, cobras peçonhentas e vespas. Dessa forma, as metades combatiam entre si para o governo dos animais.

Os velhos contam, também, que um dia, as duas metades viram que os jaguares eram muito violentos. Andavam matando muitas pessoas. Por isso resolveram erguer uma ponte de tronco de árvore. Kaiurucré disse ao chefe dos Kamé:

— Quando os jaguares estiverem sobre a ponte, derrube-a. Assim eles cairão no rio e morrerão.

O chefe fez conforme o pedido e todos os jaguares foram arremessados no rio. Porém, nem todos morreram, pois alguns conseguiram jogar-se no barranco e sobreviveram graças às suas afiadas garras. O chefe Kamé ainda tentou empurrá-los rio abaixo, mas os urros dos felinos acabaram amedrontando o cacique que preferiu os deixar livres. Dizem os avós Kaingang que é por este motivo que os jaguares preferem andar apenas pela terra, muito embora sejam excelentes nadadores.

As duas metades Kaingang continuaram seu caminho até chegarem num local onde decidiram unir suas forças através do casamento entre seus jovens. Moços Kaiurucré casariam com moças Kamé, e moços Kamé casariam com moças Kaiurucré. Assim aconteceu. Mas foi tudo sem festa porque eles ainda não sabiam cantar ou dançar.

A música e a dança apareceu entre eles quando um grupo de caçadores Kaiurucré chegou num bosque todo limpinho e percebeu que havia, ali, um pequeno roçado. Aproximaram-se para observar melhor e notaram duas varinhas com suas folhas carregando uma pequena cabaça. Acharam estranho e voltaram para a aldeia onde contaram tudo o que viram.

O chefe da aldeia decidiu que voltaria ao local com toda aldeia para certificar-se daquilo. Lá chegando ouviram canções belíssimas. Foram decorando cada uma das canções. Depois pegaram a varinha e levaram para a aldeia onde fizeram cópias delas e distribuíram entre todos. O chefe Kaiurucré, que havia presenciado a dança das varinhas, reproduziu a mesma dança chacoalhando-as. Todo mundo viu e gostou. Foi o início de uma grande festa.

Algum tempo depois de já terem descoberto a música, Kaiurucré encontrou um tamanduá-mirim. Imediatamente armou sua burlona para matá-lo, mas o bicho ficou de pé e principiou a dançar. Foi aí que o moço compreendeu que quem o havia ensinado a cantar e dançar fora aquele animal. Ele era o mestre da dança.

O tamanduá pegou seu bastão, dançou e o devolveu ao homem dizendo:

— O filho que tua mulher está esperando é um homem. Fica estabelecido entre nós que quando tu ou os teus parentes encontrarem comigo e me entregarem seu bastão e com ele eu dançar, terão filhos homens e quando eu o largar, sem dançar, terão filhas mulheres.

O homem ficou admirado com a sabedoria daquele ser da natureza. Voltou à aldeia e contou a todo mundo o novo conhecimento que havia recebido.

A partir daquele dia, todos os Kaingang compreenderam que o tamanduá é um velho sábio, os primeiros habitantes do planeta desde os tempos mais antigos.

Glossário

Kaingang — Povo originário do sul do Brasil. É do tronco linguístico Macro-Jê e da família linguística Jê. Está hoje presente nos estados de São Paulo, Paraná, Santa Catarina e Rio Grande do Sul. Sua população foi estimada em 20 mil pessoas (dados de 1994).

Saracura — Galináceo que habita pântanos, lagoas e rios. Anuncia, com seu cantar, a aproximação das chuvas.

Kaiurucré — Metade familiar entre os Kaingang. Os membros desta metade podem casar-se apenas com sua metade oposta, os Kamé.

Kamé — Outra metade familiar Kaingang. Os membros deste grupo só podem casar com os Kaiurucré.

Tamanduá — Mamífero desdentado do tamanho de um cão de forma extravagante. Alimenta-se de formigas e cupins graças à sua poderosa língua. De natureza mansa, possui descomunal força nas garras afiadas que o protege dos predadores.

A proeza do caçador contra o curupira

Povo Tukano (Mito Tukano)

Povo: **Tukano**
Língua: **Tukano**
Família: **Tukano**
Tronco: **Não definido**
População: **3.000**

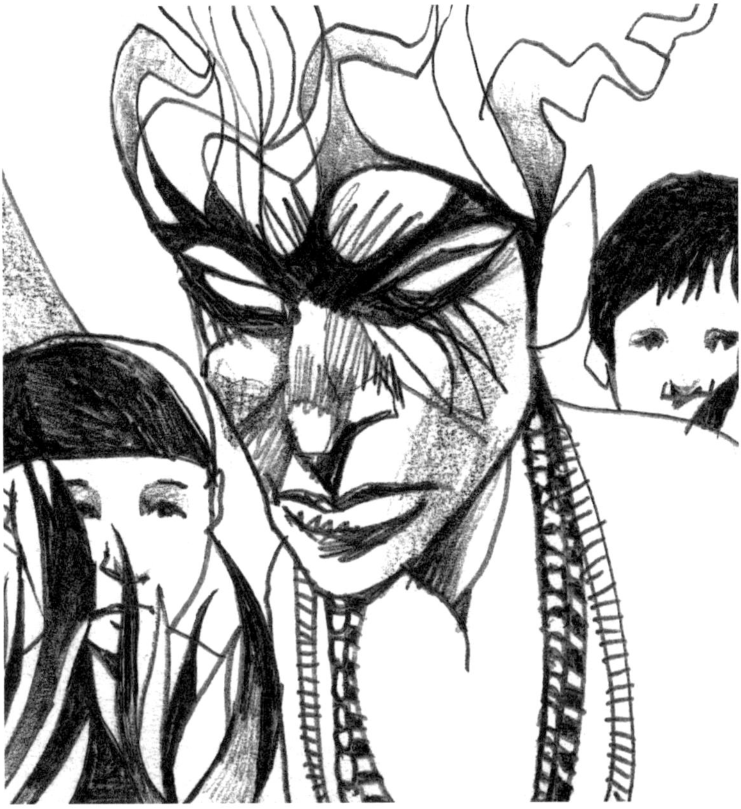

Lá no coração da floresta amazônica, os velhos do povo *Tukano* contam a história de um caçador que saiu para caçar porque sua família estava com muita fome e nada tinham para comer.

O caçador saiu bem cedinho e andou o dia inteiro e só havia matado um único macaco. Mas era tão pequeno que não seria suficiente para alimentar sua família.

O dia foi passando bem rapidinho e quando o caçador se deu conta já estava anoitecendo. Ele ficou aflito, pois sabia que passar a noite na mata é sempre muito perigoso. Além dos animais noturnos, há os espíritos da floresta que habitam o lugar. Ficou especialmente com medo do espírito protetor dos animais: o *curupira*.

Ele já havia ouvido falar demais desse espírito que, segundo os velhos, enlouquecem os caçadores desavisados que teimam pernoitar no mato.

— Tomara que o curupira não me encontre — pensava o homem, enquanto procurava um lugar para abrigar-se.

— O que vai ser dos meus filhos se esse malvado me encontrar aqui? — continuava matutando enquanto deitava-se no oco da árvore e sobre o macaco que havia matado.

De nada adiantou seus lamentos. A noite já havia caído por completo e nada mais podia fazer para encontrar o caminho de volta. De repente ele ouve um farfalhar de folhas secas e uma batida: tum, tum, tum. Era a batida do curupira. Na aldeia diziam que ele fazia isso para verificar quais as árvores estariam abaladas pelo vento ou pela idade já que seu trabalho é zelar pela segurança de toda a natureza.

 O som da batida estava bem próxima do caçador. Um vulto se aproximou da árvore em que ele estava e sentou-se na raiz. Como estava muito escuro o curupira não conseguia vê-lo nem mesmo usando sua vasta cabeleira cor de fogo.

 O caçador tentava esconder-se para não ser notado, mas foi tudo em vão. O espírito da floresta já o havia identificado pelo cheiro que a caça exalava.

— Como está você, meu neto?

— Estou bem, meu avô. E você, como está?

— Estou bem, meu neto.

Enquanto falava isso, o curupira começou a fungar e a arrastar os pés, sinal claro de que estava com fome, muita fome.

— Como é isso, meu neto? No mato a essa hora da noite?

— Estou perdido, meu avô.

— Você não andou caçando meus animais na mata, andou?

— Eu? Nunca faria uma coisa dessas. Eu apenas estou perdido. Fui atravessar o mato e escureceu muito rápido e, aí, eu me perdi.

— Ah! Isso é bom, muito bom! Faz quanto tempo que saiu de casa?

— No dia que passou.

— Acho que realmente você deve estar perdido, pois se fosse um bom caçador não estaria aqui.

 O curupira fungava cada vez mais forte e arrastava o pé. Sentia o cheiro do macaco exalando no ar.

— Estou com muita fome, meu neto. Você conseguiu alguma caça?

— Não vim caçar, meu avô — sustentou o homem.

— Então eu vou ter que comer sua mão.

O homem, mais que rapidamente, cortou a mão direita do macaco e deu para o curupira. Este devorou-a rapidamente.

— Agora quero comer a outra mão, meu neto.

Imediatamente o caçador cortou a mão esquerda e a entregou ao curupira que se deliciou com a iguaria. Insatisfeito, o espírito pediu um pé e recebeu o direito; depois recebeu o pé esquerdo que devorou com sofreguidão.

— Está tudo muito delicioso, meu neto. Mais ainda lhe resta o coração. Pode me dar seu coração?

O caçador, extraindo o coração do macaco, o entregou ao curupira que, satisfeito e com sono, falou que tudo o que o caçador quisesse ele daria.

O homem não se fez de rogado: — Quero o coração do meu avô!

O curupira achou estranho o pedido, mas como havia empenhado sua palavra, pegou a faca do moço e a enterrou inteira no coração. Foi morte instantânea.

O caçador esperou o dia clarear e voltou para a aldeia. Chegando em casa, seus filhos reclamaram de sua demora e do fato de não ter trazido nada para comer.

— Pai, por que suas caçadas não têm sido boas?

— Não sei, meu filho. Acho que é por causa das pontas das flechas. Não consigo acertar em nada.

— Disseram para nós, meu pai, que osso de curupira dá ponta forte, certeira.

O homem pensou que podia voltar ao local e pegar os ossos do curupira que havia enganado. Deixou passar um bom tempo e depois foi para lá. Viu que os ossos estavam intactos e pensou nas flechas que iria conseguir fazer.

Decidiu começar pelos dentes. Bateu nos molares. Quando percebeu o que estava acontecendo, deu um salto para trás: o curupira estava revivendo. Como não esperava o ocorrido, o caçador até ensaiou uma fuga, mas foi logo sendo interrompido pelo espírito.

— Oh, que sono comprido eu tive. Puxa, meu neto, você ficou esse tempo todo aqui, vigiando meu sono? É bom ter um neto assim. Agora vá buscar um pouco d'água que estou morrendo de sede.

O homem foi até o rio e trouxe uma bilha toda cheia de água. O espírito bebeu com satisfação.

— Peça o que desejar — disse ao caçador.

— Eu vim procurar o que fazer pontas bem fortes. Preciso dar comida para meus filhos, mas minha flecha é muito fraca.

— Vou lhe dar uma flecha que não erra alvo nunca, nem quebra. Mas é uma flecha única, não existe outra igual.

Os dois saíram andando pela mata procurando árvore de fazer flecha forte. Finalmente acharam a árvore.

— Eis sua flecha, meu neto. Mas cuidado. Não revele quem a fez nem de onde foi tirada. Esta flecha é sagrada e não deve ser levada para dentro de casa; deve ficar no oco da árvore. Ela só serve para você. Se outra pessoa for usar ela se transforma numa surucucu e mata a pessoa. Estarei sempre nesta mesma árvore. Quando precisar venha até mim.

Depois desse dia a família do caçador não passou mais fome. Todos os dias ele saía para a caçada e sempre voltava com as mãos repletas de animais de todos os tamanhos.

Naturalmente isso despertou inveja nos mais jovens caçadores que não entendiam como um caçador mais velho e que sempre fora *panema* estava voltando de mãos cheias e eles, vazia.

— Isso só pode ser coisa de feitiçaria — diziam uns.

— Vai ver que ele fez um acordo com *anhangá* — diziam outros.

Decidiram segui-lo para todas as partes. Vendo-se seguido, o homem foi até a grande árvore do curupira e lá conversou com ele.

— Não se preocupe, meu neto. Homens adultos não podem entrar nos mistérios da feitiçaria. Basta você dar uma volta e eles ficarão perdidos.

E assim aconteceu. Os jovens caçadores sempre perdiam a pista dele. Por isso decidiram que mandariam dois meninos para segui-lo. E dessa vez deu certo pois os dois eram muito silenciosos e ágeis. Seguiram o caçador para todas as partes até que descobriram qual o segredo: a flecha que ele usava tinha sido feita pelo próprio curupira, por isso era infalível!

Os dois meninos decidiram, então, não contar nada para ninguém e eles mesmos se apossarem da flecha.

No dia seguinte foram ao local do esconderijo. Pegaram a flecha e foram caçar passarinho. Um dos meninos mirou no pássaro e soltou a flecha. Mas para sua surpresa surgiu uma imensa surucucu em sua frente que o picou, deixando-o morto no chão. Seu amigo saiu em disparada rumo à aldeia.

— Surucucu picou meu amigo; surucucu picou meu amigo.

Todos os velhos estranharam a notícia pois não entendiam como uma cobra tão venenosa estava perto da aldeia. O menino explicou:

— Foi uma flecha que virou surucucu!

Ainda assim ninguém acreditou na história do menino. Apenas o caçador sabia do que ele estava falando. Foi ao esconderijo e constatou que sua flecha não mais estava lá, ficando triste por muito, mas muito tempo mesmo, triste e sem vontade de viver.

Glossário

Tukano — Povo indígena que habita o estado do Amazonas quase na fronteira com a Bolívia. É historicamente identificado como povo das montanhas, tendo imigrado para terras brasileiras posteriormente. Sua filiação linguística é da família Tukano que compreende, além da própria língua Tukano, outras dez línguas faladas na mesma região. Foram grandes divulgadores do Nheengatú, conhecida como língua geral.

Curupira — É o gênio tutelar da floresta que castiga os que a destroem e premia os que a protegem e a respeitam. Pode ser encontrado no Brasil sob outras denominações: caapora, caiçara, entre outros.

Panema — Pessoa sem sorte, azarada e azarenta.

Anhangá — Espírito do mal e da maldade.

A onça valentona e o raio poderoso

Povo Taulipang (Mito Taulipang)

Povo: **Taulipang**
Língua: **Mondé**
Família: **Karib**
Tronco: **Karib**
População: **600**

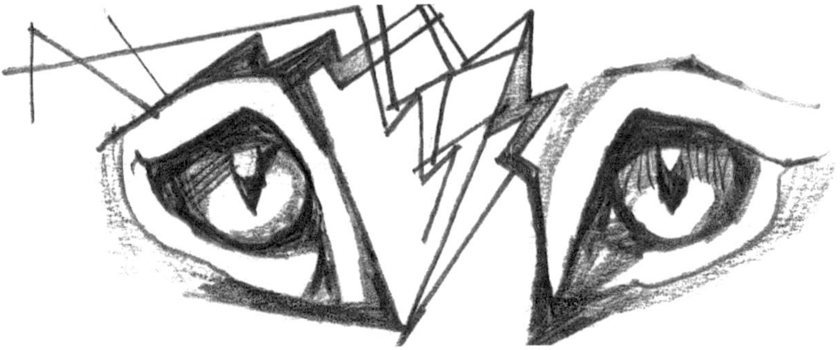

Os velhos do povo *Taulipang* contam que, antigamente, lá no início dos tempos, quando nada ainda havia sido criado, a onça era muito metida a besta. Gostava de aparecer e amedrontar todo mundo, todos os animais. Fazia isso para poder se alimentar, mas fazia também para convencer a todos que ela era a mais poderosa do lugar.

Um dia ela encontrou um moço muito formoso à beira de um rio. Ele estava lá preparando um bastão. Sua distração era tanta que nem percebeu a onça aproximar-se às suas costas.

Ela chegou, então, de supetão e lançou-se sobre o estranho. Embora ela quisesse devorá-lo, não o fez naquele momento, pois antes queria humilhar sua presa. Por isso a onça apenas passou por cima do moço que permaneceu impassível. Ele apenas levantou os olhos e a cumprimentou.

— Olá, meu cunhado — disse a onça — queria saber se você é tão forte quanto eu. Eu quebro tudo o que vejo em minha frente. Você quer ver?

Nem esperou a resposta de Raio, como se chamava o moço. Imediatamente subiu na árvore *carimbé* e a quebrou totalmente. Foi sobre a árvore *paricá* e a estraçalhou com sua força descomunal. Desceu ao chão e cavou com suas garras, destruindo tudo à sua frente.

— Viu como sou forte, meu cunhado? Sou forçuda. Nada pode me deter. Agora eu quero ver sua força.

Raio permaneceu imóvel onde estava. Apenas comentou:

— Não sou forte como você, cunhada. Não tenho a força.

Não convencida, a onça mostrou mais uma vez sua força soltando fortes urros que foram ouvidos por toda a terra. Subiu em outras árvores e as destruiu sem dó nem piedade. Quando acabou sua demonstração e em prova de sua coragem, sentou-se de costas para Raio. Ele levantou-se de seu lugar e passou a agitar seu bastão produzindo faíscas, trovões, trovoadas, coriscos e toda sorte de barulho. Atordoada, a onça despencou no chão. Raio a pegou pelas pernas e a atirou bem longe dali.

Não sabendo o que pensar, a onça começou a fugir tentando encontrar um abrigo para se esconder. No entanto, para onde quer que corresse, Raio ia até ela e a descobria: ela correu para esconder-se nos rochedos, Raio foi lá e partiu os rochedos ao meio; ela subia nas árvores, Raio mandava seus raios sobre elas e as queimava inteiras obrigando a onça a procurar novos lugares. Ela enfiou-se no buraco do tatu gigante, Raio abriu a terra com seus raios poderosos e a fez fugir.

Eram tantos os poderes daquele jovem que apareceram chuvas, ventos, coriscos e deixaram tudo muito frio. Tão frio que a onça não podia mais correr para lugar nenhum.

Quando Raio viu a onça toda encolhida e medrosa, deitada sobre o próprio rabo, encaminhou-se para ela e ergueu as mãos como se fosse mandar um raio direto no coração do bichano. Mas não foi o que aconteceu. Na verdade, Raio parou diante do bicho todo acuado.

— Você viu, minha cunhada? Eu tenho a força muito maior do que a sua e nada pode me parar. É melhor que você não queira se achar toda poderosa antes de conhecer seu adversário. Agora eu vou embora, mas você sempre vai lembrar de mim.

Já toda envergonhada e cabisbaixa, a onça foi para sua casa.

Dizem os velhos desse povo, que é por isso que, até hoje, a onça tem tanto medo de trovoada. É que dentro dela mora a lembrança da existência do poderoso Raio.

Glossário

Taulipang — Povo que vive no estado de Roraima e na Venezuela.

Carimbé — Árvore que nasce esparsamente em terreno sem mata.

Paricá — Árvore cujas sementes fornecem o paracá, certo rapé muito usado pelos povos nativos em suas festas ou como remédio.

Daniel Munduruku (Belém, 28 de fevereiro de 1964) é um escritor e professor paraense, pertencente ao povo indígena Munduruku. É graduado em Filosofia e tem licenciatura em História e Psicologia, além de mestrado e doutorado em Educação pela Universidade de São Paulo (USP). Também é pós-doutor em Linguística pela Universidade Federal de São Carlos (UFSCar). É autor de diversos livros infantis e juvenis, muitos deles premiados no Brasil e no exterior.

Já atuou como educador social de rua pela Pastoral do Menor de São Paulo e esteve na Europa participando de conferências sobre a cultura indígena e de oficinas culturais.

É casado com Tania Mara, com quem tem três filhos: Gabriela, Lucas e Beatriz.

Rogério Borges. "Cresci habituado com o cheiro de tinta, exercitando muito cedo os primeiros riscos no papel. Meu pai era pintor e eu adorava desenhar. Em 1971 saí de Curitiba e fui para São Paulo fazer Comunicação Visual na FAAP (Fundação Armando Álvares Penteado). Comecei a trabalhar com publicidade e mais tarde fui para a área editorial. Fiz escola na Editora Abril ilustrando revistas, escrevendo histórias, convivendo com ótimos profissionais. Em 1980 voltei-me para os livros. E aí tenho estado até hoje como autor e como artista gráfico. Atualmente alterno pintura com arte digitalizada, conseguindo novos recursos de linguagem visual. Prêmios recebidos: Associação Paulista de Críticos de Arte (1987), Lourenço Filho, pelo conjunto de obras (1987), FNLIJ — Altamente Recomendável (1988-1992-1993-1994), Jabuti (1996), e Selecionado pela FNLIJ para o catálogo de autores latino-americanos (2000)."